JE SAIS
TOUT

LES POMPIERS

UN PEU D'HISTOIRE

ANECDOTES

COMPARAISONS

ENVIRONNEMENT

JE ME DÉBROUILLE

LE SAVAIS-TU ?

ASSOCIATIONS

UN BRIN DE CULTURE

REPÈRE-TOI FACILEMENT GRÂCE AUX PICTOGRAMMES !

Les premières pompes utilisées pour éteindre les incendies ont été retrouvées en Égypte. Le système fut développé par les Romains il y a un peu plus de 2000 ans. En plus de pompes, ils utilisaient des catapultes pour détruire les maisons enflammées.

Les aspirants pompiers doivent passer un examen médical et un test d'aptitudes physiques très difficile.

Les hommes doivent soulever une charge de 64 kilos et courir au minimum 2,5 kilomètres en 12 minutes. Les femmes, elles, doivent soulever 40 kilos et courir au minimum 2,15 kilomètres. Seulement 10 à 20 % des candidats réussissent le test.

La grande échelle mesure jusqu'à 30 mètres de haut. C'est la hauteur qu'on obtiendrait en empilant 7 girafes les unes sur les autres !

ENVIRONNEMENT

Le réchauffement climatique cause des feux de forêt de plus grande envergure qui, à leur tour, contribuent à ce même réchauffement. Si la température augmente d'un seul degré Celsius, l'ampleur des feux est 3 fois plus grande... ce qui rend encore plus difficile le travail des pompiers forestiers !

Dans le roman
Fahrenheit 451 de l'auteur
américain Ray Bradbury, le rôle
des pompiers n'est plus d'éteindre
les feux, mais de brûler les livres.
Le héros, Montag, un ancien pompier,
devient un dangereux criminel
lorsqu'il décide de les lire au lieu de
les brûler.

Ray Bradbury

Peux-tu associer les types de camion avec leurs caractéristiques ?

• Ce véhicule permet d'évacuer des personnes ou du matériel lorsque l'accès est difficile.

• C'est le camion de base des pompiers pour lutter contre les incendies; il est multifonctionnel.

• Celui-ci alimente l'autopompe dans les lieux où il n'y a pas de borne-fontaine.

• Voiture ou camionnette servant au déplacement des agents ainsi qu'aux inspections.

*réponses à la fin du livre

Un camion de pompiers cache,
sous ses nombreuses portières, près de
500 mètres de tuyaux ! Si on les déroulait
les uns à la suite des autres, on pourrait
presque atteindre le sommet du One World
Trade Center, le plus haut gratte-ciel
des États-Unis !

La réaction chimique de la combustion ne peut se faire que si l'on réunit trois éléments :

1 un combustible (comme du bois);

2 un comburant (comme de l'oxygène);

3 une chaleur suffisante (énergie d'activation).

COMBURANT · CHALEUR · COMBUSTIBLE

Le pompier porte un
équipement massif : justaucorps
ignifugé, veste et pantalon de protection,
cagoule, bottes, gants, casque et bonbonne
d'air comprimé. Tous ces éléments pèsent
ensemble 23 kilos : c'est aussi lourd
qu'un castor adulte !

La majorité des pompiers sont des pompiers volontaires. C'est Benjamin Franklin qui, en 1736, créa la première compagnie de volontaires en Amérique. Il fallut attendre 114 ans pour que soient rémunérés les premiers pompiers !

Benjamin Franklin

COMPARAISONS

Une pompe à grand débit peut projeter jusqu'à 6000 litres d'eau par minute.

C'est l'équivalent de la quantité d'eau qui tombe des chutes du Niagara en un peu plus de deux secondes !

24

Au 18e siècle, les véhicules de pompiers étaient tirés par des chevaux : des dalmatiens placés devant le cortège avaient pour mission d'ouvrir la voie en éloignant les animaux et les gens. Voilà pourquoi le dalmatien est aujourd'hui reconnu comme la mascotte des pompiers !

COMPARAISONS

Chaque borne-fontaine fournit minimalement 1500 litres d'eau par minute durant trente minutes. Avec toute cette eau, tu pourrais remplir une piscine hors terre de taille moyenne !

La responsabilité de la lutte contre les incendies imputa longtemps aux habitants eux-mêmes. En 1648, la ville de New York mit sur pied un système de surveillants qui avaient pour fonction... de réveiller les habitants afin qu'ils combattent les incendies, parfois avec de simples seaux d'eau !